ALFAGUARA

ARISTÓTELES, EL MEJOR GATO PARA UNA BRUJA
Título original: ARISTOTLE

Av. Universidad 767, Col. Del Valle
México, 03100, D.F. Teléfono 5420 7530
www.alfaguarainfantil.com.mx

Alfaguara es un sello editorial del Grupo Santillana.
Éstas son sus sedes:

Argentina, Bolivia, Chile, Colombia, Costa Rica, Ecuador, El Salvador, España, Estados Unidos, Guatemala, México, Panamá, Perú, Puerto Rico, República Dominicana, Uruguay y Venezuela.

Primera edición: abril de 2006

ISBN: 970-770-437-3

Diseño de la colección: Manuel Estrada

Impreso en México

Aristóteles,
el mejor gato para una bruja

Dick King-Smith
Ilustraciones de Bob Graham

Para Zona
D.K-S

Para Caitlin y su aquelarre
B.G.

Cuando Aristóteles no era más que un cachorrito, no tenía ni idea de que los gatos tuvieran nueve vidas. Sin embargo, su madre sí que lo sabía. «Pero no se lo voy a decir», pensó. «Con lo travieso que es, porque es mucho más atrevido que sus hermanos y hermanas, se meterá en todo tipo de líos si se entera de que tiene nueve vidas para jugar con ellas».

—Adiós —fue lo único que le dijo el día que Aristóteles se fue de casa para ir a vivir con una anciana.

Se trataba de una viejecita curiosa, de nariz ganchuda y mentón abultado, vestida de negro, y con un alto sombrero negro sobre un pelo enmarañado y canoso.

Su nombre era Bella Donna, y fue ella quien decidió llamar Aristóteles a su nuevo gatito.

—En realidad —dijo—, debería tener un gato negro; pero está bien cambiar y tener uno blanco.

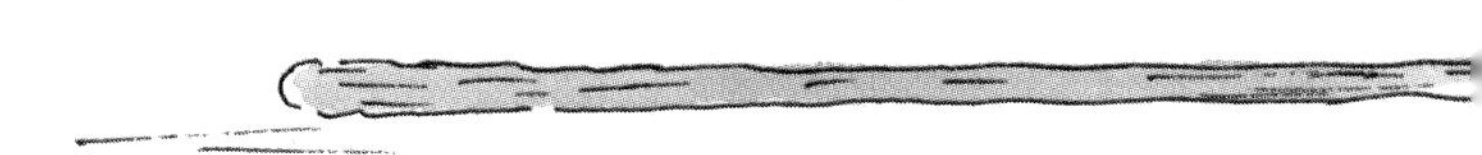

El mismo día en que fue a vivir a la vieja y graciosa casa de Bella Donna, decidió explorarla de arriba abajo... O, mejor dicho, de abajo arriba, porque después de echar un vistazo a los cuartos del piso inferior y después a los del superior, pensó que le gustaría subir al tejado.

El tejado estaba hecho de paja, así que cuando Aristóteles se encaramó por la enredadera que crecía por los muros de la casa, no tuvo problemas para caminar sobre el heno hasta la única chimenea que había.

Entonces, Aristóteles, que era muy curioso como todos los gatos, trepó por la chimenea, se asomó y se preguntó para qué serviría aquel agujero.

En ese mismo instante, una gran bocanada de humo salió por el hueco de la chimenea y golpeó a Aristóteles en toda la cara. Entonces, el gatito empezó a toser y a estornudar, perdió el equilibrio y cayó chimenea abajo.

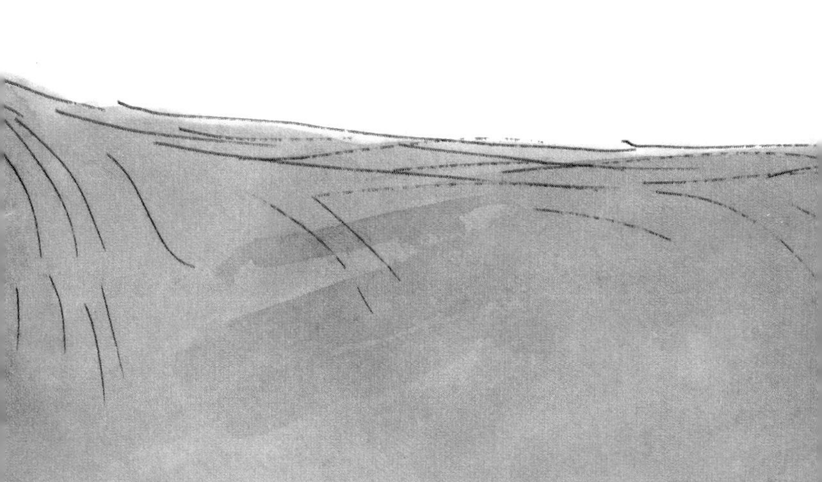

Bella Donna acababa de encender el fuego del hogar cuando, de repente, empezó a caer una gran cantidad de hollín que apagó las llamas. Y tras el hollín, un gatito que había sido blanco, pero que ahora estaba negro como el sombrero de una bruja.

—Muchacho... —dijo Bella Donna—, has gastado la primera de tus nueve vidas, y menos mal que la chimenea estaba sucia, porque si no hubieras muerto en las llamas.

Mejor te iría si fueras un poco más prudente, *Aristóteles,* si quieres llegar a ser un gato adulto. Ya sólo te quedan ocho vidas.

Después de lo ocurrido, sólo hubo que hacer una buena limpieza. Con una gran escoba que estaba apoyada en un rincón de la cocina, Bella Donna barrió todo el hollín que se había esparcido con la caída. Después volvió a preparar el fuego y lo encendió. A continuación, puso agua en un cacharro, la calentó y la vertió en un gran trasto de estaño. Luego agarró a Aristóteles, lo metió en el trasto, lo remojó, lo enjabonó y lo volvió a remojar.

Aristóteles experimentó distintas sensaciones. Por un lado, igual que todos los gatos, odiaba sentirse sucio y estaba encantado de volver a ser blanco. Pero, por otro, odiaba el agua. Sin embargo, cuando Bella

Donna lo frotó para secarlo y le sirvió un plato de carne, comprendió que las intenciones de su nueva dueña no eran malas... En absoluto.

Aristóteles no sabía qué era la carne y, aunque en realidad se trataba de una mezcla de ancas de rana, caracoles y cochinillas fritas, le supo deliciosa. Rebañó el plato, se tumbó delante del fuego y se quedó dormido enseguida.

Al despertar, comprobó que estaba solo. Cerrando la puerta de la cocina tras ella, la anciana había desaparecido... al igual que la escoba, por lo que pudo ver.

Ignoraba adónde había ido; pero con la cantidad de carne que se había comido y el calor del fuego, Aristóteles empezó a sentir mucha sed. Por ello, se puso a explorar la cocina en busca de algo de beber.

Sus ojos le dijeron que había una jarra de barro grande y pesada encima de una mesa... Así que pegó un salto y observó su interior.

Su nariz le dijo que estaba llena de una especie de leche, aunque no sabía de qué animal (en realidad, era una mezcla de leche de vaca, de cabra y de oveja, con un toque de leche de paloma).

Metió una zarpa en la jarra, removió el líquido y sus oídos le dijeron que aquel chapoteo era apetitoso. Extrajo la zarpa, se la lamió y su lengua le dijo que aquella leche tenía un sabor delicioso.

Acto seguido, y de forma muy precipitada, Aristóteles puso ambas zarpas en el borde de la jarra, introdujo la cabeza y empezó a beber con avidez.

Sin embargo, a medida que bajaba el nivel de la leche, él se iba introduciendo más y más en la pesada jarra, hasta que terminó por volcarla y echársela toda encima.

Poco después de medianoche regresó Bella Donna, abrió la puerta de la cocina, dejó la escoba en el rincón y entonces oyó un maullido de lo más melancólico.

Luego, a la débil luz del fuego, pudo ver que la gran jarra de barro estaba boca abajo en medio de la mesa de la cocina, que había leche por la mesa y por el suelo, y que el ruido venía del interior de la jarra.

Encendió una vela y, al levantar el recipiente, descubrió debajo a un desconsolado gatito más blanco que blanco, más mojado que mojado...

La anciana volvió a calentar agua para lavar a Aristóteles, y también lo frotó para secarlo. A continuación, se dirigió a él para echarle un discurso:

—Muchacho —dijo Bella Donna—, has gastado tu segunda vida. Tuviste suerte de que se volcara la jarra. Si no, te habrías caído cabeza abajo y te habrías ahogado. Tienes que ser un poco más prudente, Aristóteles, si quieres llegar a viejo. Ya sólo te quedan siete vidas.

Una vez seco y tras entrar en calor, el blanco gatito alzó sus ojos hacia la anciana vestida de negro y tuvo una extraña sensación de alivio al oír su voz.

Antes de irse a la cama, Bella sacó a Aristóteles al jardín.

—Espero que hayas bebido leche suficiente —le dijo—, porque ya tengo bastante lío en la cocina como para que vengas tú a organizar más...

«Menudo pillo», se dijo Bella para sus adentros. «Llegó ayer, y ya ha consumido dos vidas. A este paso, nunca se convertirá en un auténtico gato de bruja».

La verdad es que Aristóteles estuvo bastante tiempo sin meterse en líos. Incluso, el gatito blanco mostró un comportamiento prudente durante una semana entera: se comió la carne y se bebió la leche, y no arañó las cortinas ni los cojines de las sillas, ni montó jaleo por la casa.

De hecho, a finales de semana Bella Donna ya le había enseñado a utilizar una bandeja para hacer sus necesidades.

—No tuviste un comienzo nada bueno, Aristóteles —le dijo—; pero ahora te estás portando muy bien... Anda, continúa sin hacer travesuras.

Y dicho esto, cruzó sus grandes y nudosos dedos.

Si Aristóteles hubiera ido a parar a un hogar «normalito», tal vez las cosas habrían sido distintas; pero, por muchos motivos, la vieja casa de Bella resultaba peligrosa para un gatito aventurero.

Se hallaba situada en medio de un bosquecillo lleno de árboles grandes por el que discurría un río de aguas rápidas y orillas empinadas.

A un lado del bosque había una carretera llena de curvas; al otro, un alto terraplén por donde se extendía una línea férrea. Y por si esto fuera poco, cerca había una granja en la que vivía un gran perro.

La siguiente aventura de Aristóteles tuvo lugar en lo alto de un gran árbol. Había descubierto que le gustaba trepar, y solía subir por los muros y el tejado de la casa para sentarse en lo alto de la chimenea (aunque sin acercarse al hueco, claro). Le gustaba mucho estar allí encaramado, pero se dio cuenta de que la casa era bastante baja en comparación con los árboles que la rodeaban.

De manera que, una buena mañana, Aristóteles eligió un árbol de gran altura y saltó a la rama más baja; luego a otra más alta, y luego a otra, y a otra... Tenía la sensación de ser un gato listo.

Pero cuanto más subía, más delgadas y flexibles eran las ramas... Finalmente, cuando estuvo en la parte más elevada, se agarró a una endeble ramita que se mecía al viento...

Y entonces tuvo la repentina sensación de ser un gatito muy asustado... Comprobó que el suelo se encontraba muy abajo... y que el viento parecía arreciar... y la rama balancearse más y más.

Empezó entonces a ponerse nervioso, se soltó de su asidero y cayó, a la vez que lanzaba un alarido de pánico.

Por suerte, en
ese momento
Bella Donna
estaba asomada
a la ventana
de la cocina
y había podido
oír los gritos
del gatito
antes de verlo
caer con las patas extendidas y la
cola dando vueltas y vueltas como
loca tronchando las ramas a su paso.

«Espero que vaya a parar al río»,
pensó ella, antes de echar mano
de la escoba y salir a toda prisa.

Afortunadamente, la suerte volvió a estar del lado de Aristóteles que, en efecto, fue a dar con sus huesos al río, en medio de un fuerte impacto. Como el agua estaba muy fría y corría a toda velocidad, el pobre minino tragó mucha mientras pataleaba y maullaba, en un vano intento de trepar por la empinada orilla del cauce. Pero, de pronto, cuando ya se lo estaba llevando la corriente, pudo distinguir ante sí

algo parecido
a un manojo de ramas
largas, y se agarró
a ellas con todas
sus fuerzas.
Acto seguido, Bella Donna
alzó la escoba y extrajo
del agua al blanco
y empapado gatito.

Aristóteles estaba tan sofocado que sólo acertó a soltar un débil maullido. A continuación, se aferró a Bella Donna tan fuerte como antes había agarrado la escoba. Mientras tanto, ella lo abrazaba para que volviera a calmarse.

—Muchacho —le dijo, después de llevarlo a casa y secarlo—, has empleado dos de tus vidas de un solo golpe... Te habrías roto el cuello en la caída, y el agua habría inundado tus pulmones. Me da la impresión de que va a hacer falta algo de magia para que sigas vivo. Debes tener más cuidado, Aristóteles. Ahora únicamente te quedan cinco vidas.

Y transcurrió tiempo, mucho tiempo, sin que Aristóteles se cayera en agua caliente ni fría, ni de los árboles, ni dentro de las jarras de leche... Y es que, poco a poco, se estaba convirtiendo en todo un gato.

Alguien con menos conocimientos que Bella Donna hubiera creído que ya había pasado lo peor; pero, por muy vieja, flaca y fea que ella fuera, la verdad es que era muy sabia.

La anciana estaba convencida de que el gato blanco podía perder más vidas, y por eso no le quitaba los ojos de encima.

Aristóteles se había acostumbrado a que Bella permaneciese en la casa durante el día y saliera por la noche, mientras él se quedaba adormilado junto al fuego del hogar. Pero, como era muy observador, se había dado cuenta de que ella nunca salía de noche sin su escoba..., aunque no sabía por qué.

Durante el día, Bella Donna siempre estaba muy ocupada, así que, por mucho que quisiera, no podía estar todo lo pendiente de Aristóteles que hubiera deseado.

Por ejemplo, solía poner a calentar algo —Aristóteles no sabía qué— en un gran caldero negro que colgaba sobre el fuego, y luego removía insistentemente su contenido. Un día, mientras Bella Donna se dedicaba a esta tarea, Aristóteles se escapó a dar una vuelta.

Desde hacía tiempo sentía curiosidad por el estrépito que se oía de vez en cuando a un lado del bosque. Se trataba de traqueteos, resoplidos y, a veces, algunos pitidos agudos que se hacían más sonoros a medida que se acercaba lo que quiera que fuera..., y después, según se alejaba el extraño artilugio, los ruidos iban desapareciendo.

Aquel día, entre el chisporroteo del fuego y el borboteo del líquido que contenía el caldero, Bella no pudo oír ni el traqueteo ni el resoplido; pero sí oyó el pitido, que era más fuerte y más agudo de lo normal.

Entonces, echó un vistazo por
la cocina para ver si Aristóteles
estaba por allí... Sin embargo,
no había ni rastro de él.

Si alguien hubiera tenido
la oportunidad de estar presente,
se habría quedado impresionado
ante la rapidez con que reaccionó
Bella: primero, dejó el cucharón
en el caldero; luego, lo retiró
del fuego, y después tomó la escoba,
que estaba apoyada en un rincón,
y salió disparada.

Aristóteles había empleado algo
más de cinco minutos en cubrir
el trayecto que, desde la casa,
y tras subir por el terraplén,
llevaba hasta la línea férrea...

Pero Bella Donna llegó volando
en un instante, y se encontró
con algo espantoso.

Por el centro de la vía del tren caminaba un gato blanco que, curioso, olisqueaba los raíles de acero de ambos lados sin percatarse de que detrás de él avanzaba una vieja locomotora de vapor resoplando y traqueteando.
Además, ante la presencia del gato, su silbato rugía como loco.

Al igual que muchos otros gatos blancos, Aristóteles estaba algo sordo y no oyó el pitido hasta que la máquina estuvo ya casi encima de él.
En ese momento, también pudo oír la voz de Bella:

—¡Túmbate, Aristóteles!
—chillaba—. ¡Échate al suelo,
y no muevas ni un pelo del bigote!

32171

Aristóteles jamás podrá olvidar aquel terrible estrépito... Y es que sobre él pasaron a toda velocidad la máquina, que resoplaba y pitaba, y los vagones, que traqueteaban horriblemente... Todo pasó a tan sólo unos cuantos centímetros por encima, mientras él permanecía tumbado entre los raíles.

(Por supuesto, nunca más volvería a subir a la vía del tren.)

A medida que el ruido se alejaba, fue abriendo lentamente los ojos, pues hasta entonces los había tenido muy cerrados a causa del miedo... Y allí pudo ver a Bella Donna, apoyada en la escoba al borde de los raíles, y corrió hacia ella y se restregó contra sus piernas.

—Muchacho —le dijo—, esta vez te has librado por poco, ¿eh...? ¡Menos mal que te quedaste donde yo te dije...! Tienes que estar atento, Aristóteles. Únicamente te quedan cuatro vidas. Y después lo miró pausadamente con sus ojillos brillantes.

En la otra punta del bosque de Bella Donna había una granja a la que iba a comprar leche y huevos. Detrás de la casa se encontraba el patio y, en medio de éste, una gran caseta de perro hecha de madera. Desde que se había hecho mayor, Aristóteles solía ir a la granja detrás de Bella, meneando su cola blanca. La primera vez que la acompañó, ella se detuvo ante la puerta del patio y le señaló la caseta.

—No te acerques ahí —le advirtió—, o lo lamentarás. Espérame aquí mientras voy a buscar a la mujer del granjero.

Durante las siguientes visitas Aristóteles permaneció sentado junto a la puerta, con la mirada puesta en la oscura boca de la caseta... Hasta que un buen día decidió echar un vistazo dentro, y entró en el patio.

Al acercarse, percibió un extraño olor; un olor que le era desconocido y que no le gustaba mucho... Luego, cuando ya se encontraba muy cerca, un ruido le llegó a las orejas... Era el sonido que produce alguien cuando ronca.

Curioso como el resto de los gatos, Aristóteles introdujo la cabeza por un lado lateral de la puerta de la caseta y se asomó a su negro interior. Y allí, profundamente dormido, tumbado sobre la panza, con una gran cabeza encima de las patas, descansaba un animal muy grande. Sin duda, él era el causante del olor y los ronquidos.

Como Aristóteles no había visto nunca a un perro, no sabía que a éstos no les gustan los gatos. Sin embargo, el olor de aquel animal se le metía por la nariz y sus ronquidos le taladraban los oídos. Así que decidió dejarlo en paz... Y es que, a cada bufido, el enorme perrazo despegaba los labios y dejaba ver una amenazadora fila de afilados dientes.

Además, no sólo era un perro grande, también era muy fiero, y el granjero le había encomendado vigilar el corral. Un collar de cuero con muchos pinchos rodeaba su grueso pescuezo, y una resistente cadena estaba atada al collar por un extremo y a una argolla de la caseta por el otro.

Aristóteles no podía imaginar que muy pronto aquella cadena iba a salvarlo de perder de un solo golpe las cuatro vidas que le quedaban.

Tiempo después, acompañó a Bella a la granja un par de veces, y Aristóteles se limitó a quedarse sentado mirando la caseta de los olores y los ronquidos...
Pero un buen día, mientras Bella compraba los huevos y la leche, decidió que debía echar otro vistazo al extraño animal.
De manera que, como en otras ocasiones, se asomó a la oscuridad y, también como en otras ocasiones, pudo ver el enorme bulto dormido.

Pero justo en ese momento sucedió algo muy inoportuno. No se sabe si fue por el polvo de la paja que servía de cama al perro o por el olor que desprendía el animal... El caso es que Aristóteles estornudó.

Nunca llegará a recordar qué sucedió. Pero a Bella, que salía de la granja con la jarra de leche y la cesta de huevos, se le cayó todo al suelo al asimilar lo que sus ojos estaban viendo.

El gran perro salió como un rayo de la caseta, a la vez que lanzaba unos ladridos espeluznantes... Ya estaba casi encima de un gato blanco que huía como loco... En un periquete, lo alcanzó y lo atrapó entre sus enormes mandíbulas. Sin embargo, la longitud de la cadena

impidió que el furioso animal pudiera avanzar más. Justo entonces, el perrazo se vio frenado en seco y su cabeza se desplazó hacia atrás con el tirón. Gracias a ello, se vio obligado a abrir las mandíbulas, y un aturdido, desconcertado y babeado Aristóteles salió despedido por los aires.

Una vez en casa, Bella Donna terminó de limpiarlo y comprobó que no tenía ningún hueso roto.

Después, se puso seria con él:

—Muchacho... —dijo—, deberías haberme hecho caso, ¿no te parece? Te has librado por los pelos. Aristóteles, debes mirar por dónde vas. Ya sólo te quedan tres vidas.

A continuación, la anciana puso al gatito frente a su rostro y observó sus ojos claros... Él hizo lo mismo con los de ella, y en ese momento se le quitó el miedo y, agradecido, se acurrucó junto a su amiga.

Aristóteles no volvió a entrar en el patio. Cuando acompañaba a Bella a comprar leche y huevos, prefería quedarse en el lindero del bosque a esperar a que ella regresara.

A veces oía ladrar al horrible monstruo que vivía en la caseta, pero no le apetecía en absoluto volver a encontrarse con él.

Hasta que un día, pasados algunos meses, le picó el gusanillo...

En el momento en que Bella atravesaba el patio camino de la casa, el minino pudo ver cómo el granjero se dirigía hacia la caseta, retiraba la cadena y liberaba al perro. Acto seguido, el enorme animal se acercó a ella. Aunque, desde luego, su actitud no resultaba nada amenazante: llevaba las orejas gachas, meneaba la cola y una especie de sonrisa bobalicona cubría su cara.

—Tiene gracia... —exclamó el granjero—. Bruto se comporta como un demonio con casi todas las personas y, nada más verlas, las muerde... Pero tú le has gustado.

—Imagino —intervino Bella— que es porque sabe que no le tengo miedo...

Y tras decir estas palabras, extendió la mano... y el animal se la lamió cariñosamente.

—Esta mañana voy a dejarlo correr por ahí... —dijo el granjero—. Hay unos cuantos que se están dando un banquete a costa de las manzanas de mi huerto... Seguro que Bruto los espantará enseguida.

El perro olisqueó un rato por entre los manzanos y luego, aprovechando su recién recuperada libertad de movimientos, se dirigió hacia el bosque en busca de conejos.

Sin embargo, no fue un conejo el que se percató de su llegada, sino un gato blanco.

Cuando vio al perro, Aristóteles se olvidó de que tenía que esperar a Bella y salió de allí pitando... Pero, desorientado por el miedo, no acertó a tomar el camino de la casa, sino que se adentró a toda prisa entre los árboles sin saber adónde iba.

Como no quería volver al terraplén
de la línea férrea, torció en dirección
contraria y, sin darse cuenta,
fue derecho a la carretera que pasaba
por el otro lado del bosque.

Tampoco se percató de que
lo estaban siguiendo...

Desde luego, Aristóteles no tenía
el color más adecuado para un animal
que pretende ocultarse entre el verde
y el marrón del bosque... Por eso, al
abandonar el huerto, Bruto se sintió
enormemente atraído por aquella
mancha blanca que se alejaba.

El perro echó a correr y no se detuvo
hasta llegar al lugar donde había
estado el gato... Entonces,
al no verlo por ninguna parte,

se puso a olisquear y
empezó a seguir su rastro.

Sin embargo, alguien más lo estaba
siguiendo. Y es que Bella Donna,
cuando salía con la compra, había visto
al perro en la linde del bosque, justo
donde había dejado al gato. De
inmediato, depositó la jarra de leche
y la cesta de huevos debajo de un
arbusto y echó mano de su escoba.

Aristóteles ya había llegado hasta la carretera llena de curvas que bordeaba el bosque.
Una vez allí, y ya no tan asustado, se detuvo a tomar aliento. Pensaba que había despistado al horrible monstruo. Pero, de repente, se dio cuenta de que por la carretera se le acercaba otro ser monstruoso: un enorme camión.

Cuando Aristóteles giró sobre sí mismo para alejarse de aquel trasto sucio y ruidoso, se estrelló con Bruto. Cauteloso, el perro le había seguido la pista y ahora se abalanzaba sobre él con la boca abierta...

—¡No he visto nada igual en toda mi vida! —le narraba más tarde el camionero a su esposa—. ¡Primero, un gato blanco se mete debajo del camión, entre las ruedas, y sale por detrás! ¡Luego, un perro grande que lo va persiguiendo decide hacer lo mismo que él! ¡Yo doy un frenazo, y entonces surge una anciana de no sé dónde, con una especie de escoba, y le atiza

un escobazo al perro! ¡Éste deja escapar un aullido de dolor y echa a correr hacia el bosque! ¡Entonces, yo me bajo del camión... y resulta que no hay ni rastro ni del gato, ni del perro, ni de la anciana! ¡Todos habían desaparecido!

—¿Y dices que tenía una escoba? —preguntó incrédula la mujer del conductor.

—Sí...

—¿Ah... sí? ¡Y ahora me dirás que iba vestida de negro y con un alto sombrero en la cabeza!

—Exactamente.

Cuando se recuperó del doble susto —el de ser perseguido por un monstruo y casi aplastado por otro—, Aristóteles regresó a casa como pudo y allí encontró a Bella Donna, que removía algo en el caldero que colgaba sobre el fuego del hogar.

Encima de la mesa había una jarra de leche y una cesta de huevos. La escoba estaba apoyada en su rincón.

Entonces, el gato corrió hacia la anciana y empezó a restregarse contra sus piernas vestidas de negro, mientras ronroneaba como una máquina de vapor.

—Muchacho... —dijo Bella Donna—, te has vuelto a librar por los pelos. Aristóteles, creo que esta vez tendremos que contar dos vidas, porque te habrían matado tanto el perro como el camión. De manera que ya has gastado ocho de tus nueve vidas. Esta última va a tener que durante mucho, mucho tiempo.

Acto seguido, tomó al gato blanco y lo acarició pensativa.

—Y voy a decirte una cosa más, Aristóteles —añadió la anciana mirándolo fijamente a los ojos—, no me extrañaría nada que fuera así.

Evidentemente, cuando Bella Donna volvió a ir a la granja, Aristóteles aguardó afuera mientras ella se dirigía hacia la caseta del patio.

En ese momento, Bruto salió disparado; pero se detuvo antes de que se lo impidiese la cadena al ver quién había venido. Bella le rascó detrás de las orejas y él, contento, meneó la cola.

—He venido a pedirte perdón —le dijo Bella—. No debería haberte dado un escobazo. Lo que pasa es que, si no lo hubiera hecho, te habrías metido debajo del camión. Aunque seguro que te hice daño en tu orgullo y también en el lomo. ¿Me perdonas?

Como respuesta, el perro sonrió y le lamió la mano.

Así fueron pasando los meses y los años, y Aristóteles se convirtió en un hermoso gato y, sobre todo, en un gato prudente. No volvió a meterse en líos y, tal como había dicho Bella, conservó el pellejo, y vivió feliz y contento su novena y larga vida.

En cambio, los perros sólo tienen una vida, y allí, en la granja, Bruto se había hecho muy viejo.
Ya no salía disparado de la caseta cuando se acercaban extraños...
Ya no intentaba morder a todo el mundo. Se pasaba las horas echado, en el patio, atado a la cadena y recordando los buenos tiempos.

Una cálida noche se quedó inmóvil a la luz de la luna llena, y tuvo el sueño más extraño de todos.

Soñó haber oído un silbido en lo alto del cielo. Entonces, levantó su pesada cabeza, alzó la vista y descubrió una figura oscura que volaba bajo el resplandor de la luna. Daba la impresión de que estuviera cabalgando, y lucía en la cabeza un alto sombrero negro. Sentado sobre el hombro, llevaba un bulto blanco, un bulto que le recordaba a Bruto algo que había sucedido años atrás... Acto seguido, lanzó un último y gran gruñido, antes de apoyar la cabeza sobre sus patas para no volver a levantarla nunca más.

Curiosamente, la siguiente vez que Bella fue a la granja, Aristóteles la siguió como antaño, meneando su cola blanca. Una vez allí, entró detrás de ella en el patio y pasó por delante de la oscura boca de la caseta. La cadena permanecía estirada sobre el suelo, junto al collar lleno de picos que siempre había llevado el perro.

Imagino que quieren saber si Aristóteles sigue disfrutando de su novena vida... ¡Desde luego que sí! Porque no es que sólo se haya hecho un gato mayor, sino que se ha convertido en un auténtico gato de bruja. Incluso le echa la mano a Bella Donna en sus quehaceres. Algunas de las extrañas mezclas que Bella Donna calentaba a diario en el caldero no eran otra cosa que su comida y la del gato; pero otras muchas eran pociones mágicas para curar enfermedades, como el dolor de cabeza, el de muelas o el de estómago.

Por las noches, Bella Donna monta en su escoba y sale volando —Aristóteles lo sabe porque se va con ella— para llevar esas medicinas a las casas de los niños que están enfermos. Una vez allí, les da una cucharada mientras duermen. Después trata de estar siempre de vuelta en casa con el gato hacia la medianoche.

Aristóteles ya es muy viejo, por supuesto, y Bella Donna es una mujer muy, pero que muy anciana.

Su pelo canoso ya es tan blanco
como el del gato. Pero siguen
viviendo juntos y felices
en la casa de tejado de paja
del bosque.

Bella Donna y Aristóteles
tienen mucho tiempo
por delante para hacerse
compañía.

Este libro terminó de imprimirse en abril de 2006 en Centro de negocios Pisa, S.A. de C.V., Salvador Díaz Mirón 199, col. Santa María la Ribera, 06400, México, D.F.